DE NEDERLANDEN

DE NEDERLANDEN

DOOR

ANTON PIECK

Tekeningen en vertellingen

zhu

MCMLXXXI

ZUID-HOLLANDSCHE UITGEVERSMAATSCHAPPIJ

AMSTERDAM/BRUSSEL

Samenstelling: Max Pieck/Piet Pors
Tekstbewerking: Ernest Benéder
Omslagontwerp: Studio Myosotis
Produktie: Rinus de Vringer

© MCMLXXXI Elsevier Nederland B.V., Amsterdam/Brussel en
Pieck Productions and Promotions
D/MCMLXXXI/0199/550   ISBN 90 10 03967 6

Deze uitgave is verzorgd door B.V. Uitgeversmaatschappij Elsevier Boekerij.

Door het oog van de meester

Niet veel mensen kunnen ons nog een beeld verschaffen van die goede oude tijden der lage landen. De snelle mens anno nu wordt vervuld van nostalgische en romantische gedachten bij het zien van beelden in en om de Hollandse en Belgische stadjes van rond de eeuwwisseling. Je moet wel een bijzonder respectabele leeftijd hebben bereikt, wil je dat nog met éigen ogen hebben aanschouwd.

Anton Pieck hééft die leeftijd bereikt (hij is inmiddels de 85 gepasseerd) en werkt nog steeds.

Hij houdt van oude stadjes en heeft ze nog gekend uit de tijd van vóór de Eerste Wereldoorlog.

Tijdens zijn militaire dienst (1914-1918) vond Anton Pieck Nederland op zijn mooist en hij betreurt het bijzonder dat zoveel typerende kleinigheden thans zijn 'opgeruimd'.

In ruim een halve eeuw is er van alles gebeurd. Veel is verdwenen, weinig fraais keerde er voor terug.

Nieuwbouwwijken zullen volgens Pieck nooit enige esthetische waarde krijgen. Hij zal ze in elk geval nimmer tekenen.

Het wordt overigens voor Anton Pieck steeds moeilijker om ergens een gaaf stadsbeeld te vinden. Hier en daar zijn er nog wel wat huizen die de moeite waard zijn, maar doorgaans staan er veel afschuwelijke dingen en gebouwen in de buurt.

Geen wonder dat Pieck veel zaken uit zijn hoofd tekent.

Dan doet hij zijn ogen dicht en gaat terug in de tijd.

Terug naar het begin van deze eeuw. Op die manier weet hij de warmte en de romantiek van de oude steden, wijken, stadjes en dorpen voor ons terug te brengen.

Anton Pieck tekende het voor ons…

En wij krijgen de gelegenheid dat allemaal te bekijken, zoals hij dat ook zag: *door het oog van de meester.*

Langestraat

Amsterdam
'Tekenen in grote steden vind ik geweldig. Je krijgt er allerlei gedachten en soms nodigen de mensen je op de koffie
uit.'
Vanuit het atelier van zijn vriend, de schilder Jan Korthals,
tekende Anton Pieck deze bekendste brug van Amsterdam, die ook in de winter een vertrouwd beeld geeft.

Magere Brug

'Ik heb altijd in een huis aan het Begijnhof willen wonen.   *Begijnhof*
Dat zou wel veel traplopen hebben betekend.'
Een rustige plek te midden van het hoofdstedelijke ver-
keersgeweld. Hier lijkt de tijd écht te hebben stilgestaan.

Prinsengracht

'De schrijver Fred Thomas had een bijzonder mooi huis aan de Prinsengracht, vlak achter deze plaats.'

In de 18de eeuw vond op deze plek een grote ramp voor Amsterdam plaats: de daar gelegen schouwburg brandde tot de grond toe af.

Kloveniersburgwal

'Amsterdam heeft me altijd aangetrokken. Jarenlang ging ik er een dag in de week heen om allerlei straten, steegjes en details vast te leggen.'

Poortje van het Burgerweeshuis, Kalverstraat Amsterdam

Anton Pieck

Egelantiersstraat 'We logeerden dikwijls bij mijn tante die op de Haarlemmerdijk woonde en dan ging ik vaak naar de Jordaan.'
Een kar met fel-oranje sinaasappelen... twee hunkerende kinderen voor een winkelruit... beelden van toen, die wij nu nog graag terugzien.

Burgerweeshuis Kalverstraat 'Zo'n gezellige kar met kleurige bloemen vind ik de moeite waard. Negotie heeft me trouwens altijd geboeid.'
Door deze poort van het gerestaureerde Burgerweeshuis vinden thans elk jaar tienduizenden toeristen hun weg naar de historische gewelven.

11

Nabij de
Lutherse Kerk

'In alle grote steden is dat hetzelfde: hoe minder netjes de buurt is, des te mooier. In elk geval veel interessanter dan zo'n moderne steriele woonwijk.'

Deze zijstraat bestaat niet meer, maar het pierement is er nog steeds... onafscheidelijk verbonden met oude straatjes, feesten en (vooral) mensen.

Grote
Kattenburgerstraat

'De bouwkunst was vroeger zo pittoresk. Nadeel was natuurlijk dat er geen voorzieningen waren, maar iedereen hielp elkaar wel.'

Het oude Kattenburg was mooi en had zeker een eigen karakter. Natuurlijk werd er op 'de eilanden' veel gedronken, maar waar was dat in die moeilijke tijd níet het geval? De mensen zaten letterlijk en figuurlijk op elkaar gepakt. Voor vervreemding - zoals dat nu in moderne flatgebouwen voorkomt - was geen kans.

Men leefde voor en mét elkaar.

Bloemgracht

Lutherse Kerk

De geur van gist en versgebakken brood. Geblakerde vormen en bemeelde manden. Zo was het beeld van een oude
bakkerswinkel aan de Rozengracht.

Rozengracht

Wittenburgergracht   'In die huizen kwam de wc direct op de huiskamer uit. Niemand had daar problemen mee. Het hele huis stonk er vaak naar, maar je was blij als je die geur rook: dan wist je dat je thuis was.'

'Ik vind Amsterdam nog steeds geen gevaarlijke stad. Ik heb overal gewerkt en heb nooit last gehad.'

Brouwersgracht

Dit beeld van de Brouwersgracht tekende hij naar het leven. De rij prachtige gevels, de mattenkloppende vrouw, het was er allemaal op het moment dat de meester het op papier vastlegde.

De voorliefde van Anton Pieck voor uithangborden blijkt uit dit beeld van de Gravenstraat nabij de Dam. Het café 'De Drie Flesjes' is nog steeds een begrip.

Gravenstraat

anton Pieck
Gravenstraat
Amsterdam

'De mensen denken altijd dat ik een kerst-enthousiast ben, *Singel*
vanwege mijn kerstkaarten uiteraard. Toch is dat niet zo, ik
ben gewoon dol op Amsterdam met sneeuw. Sinterklaas
vind ik eigenlijk leuker dan Kerstmis...'
Toch ontbreken de kerstbomen niet op dit beeld van de bekende Amsterdamse drijvende bloemenmarkt.

'Wanneer je op straat aan het tekenen bent, komen de mensen vaak naar je toe om je op een béter plekje te attenderen. Soms hebben ze nog gelijk ook.'

Dat het werk van Anton Pieck een begrip is blijkt uit de volgende anekdote. Toen hij druk bezig was een karakteristiek deel van de hoofdstad te vereeuwigen kwam er plotseling een fors gebouwde man achter Pieck staan.

Hij staarde geboeid naar het papier, waar de gevels steeds mooiere vormen begonnen aan te nemen.

'Dat is werkelijk prachtig, meneer,' sprak de man, 'maar ik denk wel dat u daar last mee gaat krijgen.'

De verbaasde tekenaar kon zich dat nauwelijks voorstellen.

De passant echter des te meer.

'Meneer,' zei hij streng, 'u kopieert Anton Pieck helemaal...'

Anton Pieck

Bakkerij Nieuwebrugsteeg Amsterdam

Nieuwebrugsteeg 'Ik heb een zwak voor oude winkeltjes. Ik zal nooit een te-kening maken van een supermarkt.'
Een typisch bakkerijtje onder een interessante gevel.

Oudemanhuispoort 'Hier liep ik al met mijn vader in oude boeken te neuzen.'
Net als de Nieuwebrugsteeg bevindt de Oudemanhuis-poort zich niet in een van de beste buurten van Amsterdam. Juist daarom krijgt de tekenaar volop gelegenheid zo veel kenmerkende details vast te leggen.

'Ik heb een voorliefde voor daken en dakpannen. Als jongen bracht ik veel tijd in de dakgoot door. Vooral Amsterdamse daken zijn heel bijzonder.'

Uitzicht op besneeuwd Amsterdam vanuit een atelier aan de Tweede Weteringdwarsstraat.

Tweede
Weteringdwarsstraat

'Trappen hadden vroeger een belangrijke
functie.
Kinderen speelden op de treden; vrouwen
zaten buiten en schilden de aardappelen.
Die trappen vormden vooral in de Jordaan
een soort openlucht-huiskamers.'

Anton Pieck

Zetboogstraat Amsterdam

Voetboogstraat   'De mooiste architectuur wordt gemaakt door heel eenvoudige mensen.'
De Voetboogstraat is een zijstraat van de Heiligeweg.
In tegenstelling tot de moderne architecten die altijd iets
nieuws en anders willen maken, ging in vroegere tijden de
bouwkunst over van vader op zoon. Vandaar die perfectie,
aangepast bij gewoonten en functies.

Nieuwmarkt   'Zo'n marktje bij de Waag heb ik nog meegemaakt, com-
pleet met door fakkels verlichte tentjes.'
Zo zag de buurt eruit, lang voordat de gevels moesten vallen voor de mokerhamers ten gunste van de dóór en onder
de stad gierende metro.

Oudezijds 'Mijn hele leven heb ik in zo'n oud huis willen wonen. Ik
Voorburgwal hou van oude dingen, juist wanneer ze in een écht oud huis
zijn geplaatst.'

Jordaan Een uitdragerij in het hartje van de Jordaan.
Klompen, oude kleding, kachels. Over tekenen in de Jordaan: 'Het contact met de mensen daar is heerlijk.
Meestal roepen ze: *teken mij es effe…* De meer ontwikkelden
mompelen: *da-hèje-Rembrandt…*'

Anton Pieck

't Huis Leeuwenburg - A'dam

Het huis   Het Leger des Heils én het draaiorgel…nader commentaar
'Leeuwenburg'   is bij dit hoofdstedelijke tafereel overbodig.

Damrak   Wie kan zich Amsterdam mooier voorstellen dan op deze illustratie? Het spiegelende water, de langsscherende
meeuwen, de tegen elkaar hangende gevels… Mokum op
zijn best.

De tijd van het Waterlooplein is definitief voorbij. Weg zijn de kramen, de karren, de rommel.

Waterlooplein

Waar eens de kooplieden hun waar aanprezen is thans een troosteloze zandvlakte, die door ludieke jongeren levendig wordt gehouden. Straks verrijst hier de felomstreden Stopera.

Voorbij de Mozes en Aäronkerk ligt de 'nieuwe' markt... nauwelijks een schaduw van wat zij eens is geweest.

Onder de grond rommelt het. In het metrostation 'Waterlooplein' haasten mensen zich naar de treinstellen.

Zou de gemiddelde Amsterdammer nu echt gelukkiger zijn geworden door de komst van de metro...?

Spiegelstraat   'Fred Thomas noemde de Spiegelstraat de beste straat voor zenuwpatiënten. Wanneer je over je toeren bent, kom je hier tot rust. De winkeltjes met het antiek, de oude boeken en prenten en het zilverwerk vormen een perfecte eenheid.'

Lindengracht   Waar vroeger water kabbelde staan nu geregeld kleurige marktkramen.

Al deze typische pandhuizen moesten wijken voor het moderne verkeer. Dit is nu een stuk Amsterdam zoals dat in
het midden van de negentiende eeuw normaal was.
Toen zaten de mensen midden op straat… kom daar nu nog
maar eens om.

Eerste
Weteringdwarsstraat

Haarlem

Hollandse
gebakkraam

'Als je hem zo bekijkt dan ruik je hem bijna.'
Een van de weinige dingen die we nog steeds op kermissen
en braderieën aantreffen: de gebakkraam, geurig middelpunt van allerlei feestelijke en uitbundige activiteiten.

Anton Pieck Haarlem

Spaarne 'Haarlem is zeer fotogeniek. De stad wordt gedomineerd door de St.-Bavokerk. Daar kun je dan ook praktisch niet omheen.'

Warmoesstraat De Warmoesstraat komt uit aan de voet van de St.-Bavo. Anton Pieck tekent graag bij regenachtig weer, zoals hier.

'Ramen lappen doen we in Nederland praktisch allemaal. *Blok's Hofje*
Zulke leuke motieven teken ik graag. Het dagelijkse doen
en laten in een romantische omgeving.'

Hofje van Bakenes   Een typisch hofje met een poortje dat uitloopt op de Bake-
nessergracht. Een toepasselijk gedichtje:

> *Dit is het hofje van Bakenes*
> *Met vrouwen twee maal zes.*

Een rustig oord dus voor dames van boven de 66.

Bakkerijtje in een eenvoudig hoekpandje. *Ursulastraat*

In dit karakteristieke pandje vond de oude drogisterij van *Kruisstraat*
Daudeij haar huisvesting. Daudeij is een bekende Haarlem-
se familie. Onder het huis bevinden zich uitgestrekte middeleeuwse kelders.

Anton Pieck
Bank van leening Haarlem
1944

Bank van Lening Een middeleeuwse poort met daarboven een mooi gerestaureerd raam.

Keldergewelf Deze middeleeuwse kelder werd verlicht met een oude
Kruisstraat lantaarn, waarvan het 'glas' bestond uit geschild herts-
hoorn. De potten en flessen behoorden bij de drogisterij
van Daudeij. Een volkomen authentiek gewelf daterend uit
de dertiende eeuw.

Anton Pieck
Begynhof kerk van af de St. Davo
Haarlem 1941

Begijnhofkerk
vanaf de St.-Bavo 'Vanuit een hoog standpunt ziet alles er heel anders uit. Daarom zijn tekeningen als deze altijd zo verrassend.'

Damstraat Voor dit overzicht van de achterkant van de huizen aan de Damstraat klom Anton Pieck naar het dak van de befaamde drukkerij Enschedé.

St.-Bavo
Nonnengang

Graf van Pieter Saenredam

Anton Pieck heeft geen hoogtevrees en vindt het plezierig *St.-Bavo*
om 'tussen de klokken' te zitten. Vaak moest hij op smalle
balken balanceren boven een duizelingwekkende diepte
om de tekening van zijn leven te maken.

'De St.-Bavokerk is juist zo mooi, omdat het zo'n ver-
schrikkelijk sobere kerk is. Hier en daar zijn oude schilde-
ringen blootgelegd, maar verder is het een heel gewone
kerk.'

Anton Pieck
de Joro Hheculere materwasen van Dubbergh v. en Pieck
1942
Saardeam

Een oercombinatie van oud hout, weelderig groen, opvallend smeedwerk en karakteristieke bouw.

Heemstede
Huis te Manpad

De Liede   Met de trein van Haarlem naar Amsterdam passeer je dit gebied, maar deze boerderij staat er niet meer. Die werd in 1942 gesloopt.

Anton Piek
Het oude slot, Heemstede
1942

Het oude slot 'Heemstede' Toen Pieck deze tekening (in 1942) maakte was het oude slot 'Heemstede' een bouwval. Later werd het gerestaureerd.

Spaarndam 'In Spaarndam hebben ze nog dingen die me aan mijn kinderjaren doen denken. Zoals de suikerbeestjes, die in de etalages van de ouderwetse bakkerijtjes uitgestald liggen.'

Een ongeremd Hollands beeld wordt gevormd door het landschap rond Spaarnwoude. Het typische kerkje is ooit als atelier gebruikt.

Spaarnwoude

'Ik ben niet technisch ingesteld, maar zo'n molen heeft een "gezonde" techniek. Van a tot z handwerk en daar komt veel gevoel bij kijken. Oud hout is een heerlijk teken-object.'

Koog aan de Zaan
Molen 'Het Pink'

In de molen. Het Fonk. breg. 't ch stee.

Anton Pieck
Monnikendam

Koog Zaandijk 'De Zaanstreek heeft naast stenen gebouwtjes vooral ook veel houten huizen, waarbij de deuren met de fraai gesneden bovenlichten opvallen. Toen de Zaanse Schans werd gebouwd had ik daar graag een huisje willen hebben, maar je kunt er eigenlijk niet wonen.
Je wordt daar constant door toeristen bekeken.'

Monnickendam Een zondagsbeeld in een oud dorpje.

Monnickendam 1941

'Helaas hebben plaatsjes als Monnickendam en Volendam *Monnickendam*
hun karakter voor een groot deel verloren omdat de visserij
er nauwelijks meer wordt beoefend. Daar is de watersport
voor in de plaats gekomen. Toch blijft Monnickendam een
prachtig plaatsje.'

Volendam

Monnikendam 46

Kerkportaal *Monnickendam*

De lichtval in deze gang van het museum vond ik opvallend. *Edam*
Je ziet dat ook op oude schilderijen.
In dit huis bevindt zich een drijvende kelder, die met het
water op en neer ging.

Anton Pieck museum Edam

Assendelft

Anton Pieck
2 Juni 1941

Assendelft   Niet voor niets zijn de Zaankanters trots op hun land.
In de Zaanstreek vind je alles bij elkaar. Van natuurschoon
tot industrie. Van molens tot een uniek warenhuis.
En overal de groengekleurde houten huisjes...

Jisp   Dit landschappelijk gezicht op Jisp werd in het voorjaar getekend.

Anton Pieck   Ransdorp

Ransdorp 'Zulke afgeknotte kerken als deze zie je vaak. Voorouders begonnen aan de bouw van zo'n toren, maakten hem niet af en de nazaten hadden er geen trek meer in. Of de financiën ontbraken. De stompe toren van Ransdorp is daar een mooi voorbeeld van.'

Marken 'Op Marken hangt altijd de was uit. Het is mij niet duidelijk waarom dat daar meer dan elders het geval is. Misschien omdat de kleren zo naar vis zijn gaan stinken?'

'Ik zat op Marken te tekenen toen er – net nadat ik was be-   *Marken*
gonnen – een paar vrouwen achter me kwamen staan.
En maar kletsen. Wel drie uur lang. Toen ik na een paar uur
was uitgetekend stonden ze nóg te praten. Een van hen
wierp uiteindelijk een blik op mijn tekening en zei tegen de
anderen *daar moet je ook maar de tijd voor hebben…* en toen
sjokten ze weg.'

Molens bij Alkmaar   Waar wind is zijn molens, zeker in óns land. In de goede oude tijd waren deze molens van essentieel belang bij allerlei
werkzaamheden. Door de voortschrijding van de techniek
werden ze voor een groot deel overbodig en raakten in ver-
val. Toch lijkt het erop dat het fenomeen 'windmolen'
weer meer inhoud gaat krijgen.
Immers, de olie raakt op… de wind nooit.

anton Pieck
„De kogel" Alkmaar

Alkmaar 'In Alkmaar heb ik voor het eerst oude huizen leren ken-
'De Kogel' nen. Ik was toen een jaar of zeven.'

Het accijnstorentje 'Toen we in Den Helder woonden gingen we 's zondags
met de boot naar Schoorldam en kwamen lopend in Alk-
maar terecht.'

Het voormalig
Hof van Sonoy

'Voor Alkmaar heb ik nog altijd een zwak. Aan het eind van zo'n zondag zaten we in een cafeetje aan het water om op de boot uit Amsterdam te wachten.
En dan ging de tocht weer terug: door het Noordhollands Kanaal naar het noorden.'

Egmond aan de Hoef

'In de oorlog – toen we vrijwel geen eten hadden – ruilde ik schetsjes voor vlees, aardappelen en groenten. In Noord-Holland gingen we met de handkar de boerderijen af. In Groet en in Winkel. Daar hebben we ontzettend veel geruild. Zo'n schetsje is dus eigenlijk een oorlogsherinne-ring. We zijn er wel door in leven gebleven.'

anton Pieck. 1944
oude schuur in de Groetpolder bij
Winkel

'Ook dit kun je een oorlogsherinnering noemen.
Vlak bij deze oude schuur lag een boerderij waar we in de
hongerwinter dikwijls kwamen.'

Winkel
Oude schuur
in de Groetpolder

'In Hoorn kan ik naar hartelust mijn gang gaan.
Het hele stadje staat tjokvol oude geveltjes. Daar komt
nooit een eind aan.'

Hoorn

ANTON PIECK

Medemblik De haven en het water zijn voor het stadje van essentieel belang. De kleine huisjes, de prachtige bomen… kortom een niet te beschrijven sfeer.

Het klank- en lichtspel dat 's zomers in Kasteel Radboud wordt opgevoerd neemt de beschouwer mee naar de tijden dat het slot nog een dwangburcht van Floris V was.

'Er is een tijd geweest dat het hier, rond het stadhuisje van   *Hindeloopen*
Hindeloopen, nog heel stil was.'
In 1225 kreeg Hindeloopen stadsrechten en in de late mid-
deleeuwen was het een belangrijke Hanzestad.

Workum ontstond in de 13de eeuw en werd beroemd door   *Workum*
zijn aardewerk. Op het kerkhof vindt men de graftombe
van Jozef Sinkel (van de legendarische Winkel van Sinkel).

Anton Geertz
Workum 1951

Anton Pieck
Heringastate of Poptaslot
Marssum 1949

Marssum Het slot Heringa-State of Poptaslot is thans ingericht als museum. Dr. Hendrik Popta, de man naar wie het slot is genoemd, ligt begraven in de Hervormde Kerk van Marssum.

Havelte Havelte ligt verscholen tussen hunebedden, de schaapskooi en het natuurgebied Bisschopsberg.
Daar vindt de gejaagde westerling nog rust...

Anton Pieck
Urk

Harderwijk   De Vispoort met vuurtorenlicht - hier in de wintertijd - is een voormalige stadspoort.

Urk   'In Urk zijn het wasgoed en de vuurtoren onvermijdelijk. 't Staat allemaal op deze tekening. Toen ik dit maakte waren Urk en Schokland nog echte eilanden.'

'In Vollenhove ben ik samen met m'n vriend, de schrijver   *Vollenhove*
Fred Thomas, geweest en we hebben in *Het oude rechthuis*,
een vermaard restaurant, tot midden in de nacht zitten praten.'

84

Elburg 'In Elburg waan je je in de middeleeuwen. Het oude raadhuis tekende ik daar in 1951.'

Anton Pieck   Elburg

Elburg Ook Elburg is een oud Hanzestadje. Het stadhuis is te vinden in het in 1418 gebouwde Agnietenklooster.
Op een touwbaan wordt nog steeds in de open lucht touw
geslagen en dat levert – evenals de haven – steeds weer een
prachtig gezicht op.

'Die typische steunberen werden pas later aangebracht, *Kampen* toen de huizen naar elkaar toe dreigden te vallen. Ze geven die straat een Zuideuropees karakter.'

Zwolle
De Overijsselse hoofdstad wordt onder meer gedomineerd door de Sassenpoort met zijn karakteristieke hoektorens. In vroeger dagen speelde de poort een belangrijke rol bij de verdediging van de stad.

Anton Pieck
pepergasthuis
Groningen 1941

Groningen   In Groningen – de belangrijkste stad van het Noorden, ooit gesticht in een door Friezen bewoond gebied – vindt men de middeleeuwse gasthuizen, zoals dit Pepergasthuis. Het zijn intieme hofjes waar de tijd nog steeds schijnt stil te staan.

'Inderdaad, dit is de Markt in Groningen met een onaf-   *Groningen*
gemaakte Martinitoren. Ik heb dat heel bewust gedaan. Je
moet niet altijd alles zo mooi mogelijk proberen te maken.'

Sellingen In Sellingen zorgde de natuur voor schitterende oude ei-
ken. De méns bouwde in de 15de eeuw de Hervormde
Kerk.

'Ik vond dit een prachtige, typische plek omdat die daken   *Deventer*
zo merkwaardig zijn. Die huisjes staan onder tegen de kerk
aangebouwd.'

's-Heerenberg

Anton Pieck
oude munt, 's Heerenberg
1943

's-Heerenberg Tegen de beboste Montferlandheuvels ligt het schitterende 's-Heerenberg. Het eerste wat opvalt is Huis Bergh, een van de fraaiste middeleeuwse kastelen van ons land.

'Die huisjes zijn natuurlijk in schrille tegenstelling tot het mooie kasteel. Ik heb altijd oog gehad voor eenvoudige, simpele dingen. Die zijn zo vaak heel karakteristiek...'

Deze Droogenapstoren is een onderdeel van de eeuwen- *Zutphen*
oude stadswallen.

Hernen Kasteel Hernen bij Nijmegen bestond aanvankelijk uit een woontoren. In de middeleeuwen ontwikkelde zich daaruit een deels omgrachte burcht.

De Latijnse School stamt uit het jaar 1544. *Nijmegen*

'Rhenen was vroeger waarlijk een sprookje, met de wallen, *Rhenen*
het oude kapelletje en de straatjes.'
De Cunerakerk is gerestaureerd en nog steeds zijn overal
resten van middeleeuwse muren en torens te vinden.

De Muurhuizen zijn ingebouwd in de eerste verdedigings-   *Amersfoort*
ring rond de stad. Alle zijn gerestaureerd, waarbij het op de
tekening nog zichtbare pleisterwerk werd verwijderd.

'Ik heb prettige herinneringen aan Amersfoort omdat ik   *Onze-Lieve-*
daar tijdens mijn diensttijd was gelegerd. Iedere avond   *Vrouwetoren*
maakte ik, na het exerceren, tekeningen van het oude
Amersfoort.'

Amersfoort   De Onze-Lieve-Vrouwetoren meet honderd meter en is daarmee een van de hoogste torens die ons land kent. Hij stamt uit de 15de eeuw. Erin hangt een beroemd klokkenspel van François Hemony.

Het Sluisje   'Het Sluisje was eigenlijk een klein klooster. Ik ben er ooit eens binnen geweest. Ik trof daar heel eenvoudige mensen aan die nog bij het licht van een olielamp lazen.'

Utrecht

De Dom   'De Utrechtse Dom is natuurlijk op honderden manieren vereeuwigd. Daarom heb ik het eens anders geprobeerd, met de nadruk op de afgeknotte bomen op de voorgrond. Dat de Dom hóóg is weet iedereen toch al.'

Romaanse   De Gotische kloostergangen bij de Dom zijn alom bekend.
kloostergang   Weinig bezien is deze Romaanse kloostergang, maar daarom niet minder interessant.

Iedereen die wel eens in Utrecht is geweest, zal dit plekje *Kloostergang*
hebben gezien. De Kloostergang is dan ook erg bekend.
Het grootste deel is in de loop der jaren gerestaureerd.

'Een typisch Utrechts plekje met de Dom als dominerend *Oudegracht*
middelpunt en links het stadhuis. Onderaan ziet men de
kelders, die zó op het water uitkomen.'

UTRECHT

ANTON PIECK

Buurtkerkhof

Utrecht

Anton Pieck

Achter de Dom

'Toen ik deze tekening maakte, was nog niet alles geres-   *Geertekerkhof*
taureerd'.

'Dit vind ik eigenlijk het mooiste stuk van de Domstad. De   *Kromme*
huizen die hier staan zijn stuk voor stuk de moeite waard.'   *Nieuwegracht*

Lepelenburg *Utrecht*

Breukelen 'Een bakkerijtje, met een uitgebouwde etalage, tjokvol
lekkernijen.
Zulke dingen bestaan haast niet meer en als ze er nog zijn,
zijn ze gedoemd om binnenkort te verdwijnen.
We hebben er het geduld niet meer voor.'

Buchten aan de Vecht

Anton Pieck

Ridderhofstede   'Dit is een groot kasteel, maar met een zekere intimiteit.
'Oudaen'   Het ligt prachtig aan de Vecht. In dat huis woonden kennis-
sen van ons en omdat ze wisten dat ik zo van oud hiield, bo-
den ze het ons te huur aan. Het was aantrekkelijk, maar ik
gaf les aan het Kennemer Lyceum in Overveen en had geen
auto. Dus er kwam niets van. Misschien was het voor mijn
vrouw ook wel bezwaarlijk geweest. Als ouderwetse huis-
vrouw wil je de buitenboel goed gedaan hebben en dat is bij
zo'n huis natuurlijk niet zo gemakkelijk.'

Bleskensgraaf   Een van de oude dorpen aan de Graafstroom, ook wel de
Alblas genoemd. Noordwaarts staat de molen De Vriend-
schap, terwijl er in het dorp ook nog twee wipmolens te
vinden zijn.

'Met zijn witte muurtjes, rode dakpannetjes en huisjes aan   *Oudewater*
het water is Oudewater een plaatsje naar mijn hart…'

Gouda Een mooi uitzicht op de Waag (links) en het stadhuis, ge-
situeerd in de tijd dat men zich nog in een sjees kon laten
rondrijden.
Het Goudse Stadhuis is het oudste gothische raadhuis van
ons land; gebouwd rond 1419. In de Waag wordt nog
steeds kaas gewogen.

'Gouda ligt mooi tussen de weilanden. Het is een fijn en fris *Gouda*
plaatsje met intieme hofjes. In vroegere jaren woonden
daar nog vrouwtjes die absoluut niet konden lezen of
schrijven. Als ik in zo'n hofje aan het tekenen was kwamen
er altijd wel een paar op me af. Dan moest ik brieven voor-
lezen en soms zelfs schrijven.'

Leiden
Samuel de Zee's Hofje

Anton Pieck

„Het klaverblad" Hoogewoerd
Leiden

'Doorkijkjes en poortjes vind ik prachtig. Dat is dan ook *Den Haag* duidelijk als een soort rode draad in mijn werk terug te *'t Heilige Geest Hofje* vinden.'

Dit hofje ligt tegenover het huis waar Spinoza eens woonde. *Boterstraat*

Anton Pieck
Dolenstraat den Haag 1950

Boterstraat In de Boterstraat ziet men een onvervalste bakkerskar, die jaren geleden zo gewoon was in het stedelijke straatbeeld. Toen kwamen bakker, melkboer en groenteman nog 'ouderwets-gemakkelijk' aan de deur. Voorbij is die tijd.
Op de achtergrond de Haagse Toren met de oude…

Grote Markt …en hier met de nieuwe spits.

'Delft is en blijft voor mij een droom... een sprookje...'   *Delft*
Over Delft is al veel geschreven. Er liggen 41 Oranjes be-
graven. In de Oude Kerk vindt men de graven van Piet
Heyn en Maarten Tromp.

Een prachtig sfeerbeeld van een unieke Delftse poort: de   *Oostpoort*
Oostpoort, die de enige overgebleven stadspoort (uit 1390)
is.

Oostpoort Delft

Anton Pieck

Oostpoort (binnenzijde)

Delft... de plaats waar Oranjes stamvader Willem de Zwij-
ger in 1584 werd vermoord.
De kogelgaten zitten achter glas geconserveerd onder aan
de trap in het Prinsenhof. De Nieuwe Kerk staat aan een
van de gaafst gebleven stadspleinen van ons land. Aan de
overzijde het Stadhuis, waarvan de vierkante toren uit 1300
dateert.

Stadhuis

Voor het oude Vlaardingen brak een nieuw tijdperk aan *Vlaardingen*
toen in de negentiende eeuw de Nieuwe Waterweg naar de
Noordzee werd gegraven.
Tot die tijd was Vlaardingen niet meer en niet minder dan
een druk centrum voor de haringvisserij geweest.
De Visafslag uit 1778 en het Visserijmuseum doen nog aan
die tijd herinneren. Opvallend is ook de Hervormde Kerk
die uit 1582 stamt.

Vlaardingsche
kap

anton Pieck
Vlaardingen 15 aug 1945

'Zo'n oud huisje met en onderdeur is een juweel. Vooral wanneer het ook nog op een oude binnenplaats uitkijkt. Hier horen de oorspronkelijke bewoners in te huizen. Helaas is dat niet altijd zo. Zulke pandjes worden vaak gekocht door mensen met geld, en die zorgen dan wel dat de authentieke charme eraf gaat.'

Vlaardingen

Rotterdam
Delfshaven

Anton Pieck   Delfshaven

Op 14 mei 1940 verwoestten Duitse bommen het centrum *Rotterdam*
van Rotterdam. Voor die tijd was de stad al een haven van
wereldbelang, maar na de oorlog bouwden haar bewoners
Rotterdam op tot de grootste haven ter wereld.
Rotterdam, de stad aan de Maas, is een werkzaam gebied.
Dynamiek, snelheid en rechte lijnen bepalen het beeld.
Vandaar dat Anton Pieck hier wellicht minder zijn gang
kan gaan dan elders in ons land.

Langs de vaarweg naar zee vindt men maar liefst veertig ha-
venbekkens. Europoort, de nieuwste, ligt ver weg, maar
de Waalhaven ligt midden in de stad.
De scheepsbouw in en om de dokken speelt zich nog steeds
voornamelijk in het oude deel van de haven af.

Anton Pieck
„Simpelhuis"
Middelburg

Vlissingen   Het beeld van Vlissingen wordt gedomineerd door de hoge
toren, de St.-Jacobskerk. Veel middeleeuwse huizen zijn
vernietigd bij het Engelse bombardement in 1809.

Middelburg   'De Zeeuwse hoofdstad heeft een eerbiedwaardige leeftijd.
Je ziet er nog veel oude gevels en huizen, zoals de St.-Joris-
doelen en de Graanbeurs. Dit is zo'n typisch hoekje, waarbij vooral de gevelsteen verrassend is.'

'Aan Walcheren heb ik de fijnste herinneringen. We brachten namelijk vakanties in Zeeland door.'

Walcheren
Kasteel Westhove

'Veere is en blijft een prachtig plaatsje, maar de komst van de watersport heeft het geen goed gedaan, vind ik. Het karakter verdwijnt. Als echt vissersplaatsje was het zo kenmerkend... met al die visnetten.'

Veere

ANTON PIECK

Veere   'Mijn moeder komt uit Zeeland. Die werd in Vlissingen geboren. Misschien heb ik daarom zoveel nostalgische gevoelens naar deze kant.'
Het haventje van Veere is hier getekend in de periode van voor de Watersnoodramp in 1953.
De stompe toren geeft een kenmerkend beeld aan de stad.

Zierikzee   Uithangbord 'De Rookende Moor'.

Veel dingen in deze historische Zeeuwse stad herinneren nog aan de goede en rijke tijden van vroeger. De St.-Lievens Monstertoren dateert uit 1454. Hij is slechts 58 meter hoog. De plannen waren voor drie maal die hoogte; nadat de handelsvloot op de rede van de stad verging kwam de bouw tot stilstand.

Zierikzee

Renesse
Slot 'Moermond'

'Indertijd bezat de familie Vriezendorp dit charmante kasteel.'
Het slot werd in de twaalfde eeuw gebouwd, had bijzonder te lijden van de Watersnoodramp, maar is thans weer geheel in oude glorie hersteld.

Dordrecht

De Dordtenaar houdt van zijn stad. En waarom dat zo is, maakt Anton Pieck wel duidelijk.

De verstilde gevels, die zich in het kalme water weerspiegelen, geven de stad een bepaalde intimiteit.

Dat is iets wat je in grotere steden vaak mist.

Oude haven

Een fikse bries... onrustig water... samenpakkende wol- *Dordrecht*
ken: de Oude Maas is in beweging en Dordrecht kijkt toe...

Bijna tien eeuwen terug werd deze oudste stad van het *Grote Kerk*
Graafschap Holland gesticht:
Dordrecht, de stad die van beslissend belang was op histo-
risch, politiek en religieus gebied.

Anton Pieck
Kalkhaven, Dordrecht 1944

Veststraat

Haringstraat

'Ik vond het verrukkelijk om in de steegjes en straatjes van Dordt rond te dwalen. Helaas is erg veel afgebroken.'

Voor elke automobilist heeft Vianen een slechte klank. *Vianen*
Kilometerslange files, wachten, benzinestank, oponthoud,
ergernis.
Toch is die slechte naam onverdiend. Een ieder die er rond-
kijkt, zal verrukt zijn van de mooie huizen en de rust.

'Dorestad' was in de 7e eeuw een knooppunt van belang- *Wijk bij Duurstede*
rijke vaarwegen. Het stadje ging uiteindelijk ten onder
door de plunderingen der Noormannen.
De toren van de Johannes de Doperkerk werd nimmer af-
gebouwd en stamt uit de veertiende eeuw.

WYK BY DUURSTEDE

ANTON PIECK

'In Woudrichem zijn veel gevels gerestaureerd. Deze teke-   *Woudrichem*
ning is nog van vóór die tijd. Na een restauratie moet je altijd minstens vijftig jaar wachten voordat er weer sfeer in
zo'n huis gaat zitten.'

Gorinchem

De zon daalt aan de einder in het gouden water.
De rivier weerspiegelt het veelkleurige licht.
Onder het wakend oog van Loevestein komen hier Maas,
Waal en Merwede samen…
een eeuwigdurend, innig rendez-vous.

Slot Loevestein

Ammerzoden
Kasteel Ammersoyen

Net buiten de bebouwde kom van het Maasdorpje Ammerzoden vindt men het Kasteel Ammersoyen, een burcht
uit de veertiende eeuw, thans gemeentehuis.

In Brakel en Beesd bevinden zich nog glas-in-loodramen met het wapen van de familie Pieck. De naam van de familie is met dit kasteeltje nauw verbonden.

Brakel
Het Spijker

'In de Grote kerk van Zaltbommel vindt men nog typische oude wandschilderingen.'

Zaltbommel

1599

3 aug 1941 het stell Bommel

Anton Pieck

Zaltbommel De vroeggotische Grote of St.-Maartenskerk zie je al van verre. De stompe toren, vol ornamenten, geeft een vertrouwd beeld.

Op het Kerkplein staan enkele gerestaureerde kanunnikenhuizen. De stadsmuren, wallen en bolwerken dateren uit de 17de eeuw.

Anton Pieck
's-Hertogenbosch

's-Hertogenbosch   In 's-Hertogenbosch bouwde men tussen 1330 en 1520 aan de beroemde kathedraal-basiliek St.-Jan, die zonder meer als de fraaiste van ons land mag worden beschouwd.

In schrille tegenstelling tot de pracht en praal van deze majestueuze kerk – die in 1810 door Napoleon aan de katholieken werd teruggegeven – zijn de kleine, thans gerestaureerde, huisjes aan de Markt.

Stille naaldbossen en een uitgestrekt natuurgebied: dat is de   *Heeswijk*
omgeving waarin het indrukwekkende acht eeuwen oude
Kasteel Heeswijk zich bevindt. Het eigenlijke kasteel en de
voorburcht liggen op een eiland.

Anton Pieck
Kasteel Heemswijk 1946

'Op zo'n zonnige, pittoreske markt heb je bij het tekenen   *Breda*
altijd aanspraak. Je leutert dan maar een beetje mee en zegt
soms ja als het eigenlijk nee moet zijn.'

Entree naar het Kasteel van Gemert. Een typerend poortje   *Gemert*
dat leidt naar de trapgevel.

Anton Pieck
Poortje in 't kasteel van Gemert

Zulke Brabantse boerderijen zijn uniek geworden. De da- *Erp*
ken zijn half van riet, half van dakpannen gemaakt.
De familie woonde aan de voorkant.'

Aarle-Rixtel Ondanks de zogenaamde vooruitgang is in vele delen van ons land de bekoring van het landleven nog behouden gebleven. Pittoreske boerderijen midden in een vruchtbaar land.

'Vergeleken bij veel
Italiaanse en andere
Zuideuropese steden
zijn de vogelvlucht-
gezichten van
Nederlandse steden,
zoals bijvoorbeeld
van Maastricht, veel
boeiender en
afwisselender. De
kleurschakeringen
leveren een eigen
beeld en zijn een
regelrechte beloning
voor het naar de
dakgoot klimmen.'

Maastricht

St.-Servaaskerk

Anton Glück. Maastricht

Anton Pieck

Maastricht

Trajectum Bij een doorgang in de Maas ontstond Maastricht uit een
ad Mosam Romeinse vestiging: Trajectum ad Mosam.
Stad gedomineerd door kerken en de grensrivier de Maas.
Een van de oeververbindingen wordt gevormd door de
oude St.-Servaasbrug.

De middeleeuwen zijn nog overduidelijk aanwezig in onze meest zuidelijke hoofdstad. Anton Pieck maakt dat met deze tekening duidelijk.

Helpoort

'Dit is de zogenaamde Heksenhoek, vlak bij de wallen van de stad. Er is daar een doolhof van kleine straatjes. Uitermate schilderachtig. Het is dan ook niet voor niets dat er nu kunstschilders wonen. Vroeger was er een soort porselein-fabriek.'

Heksenhoek

In de Heksenhoek zorgde een waterrad voor het in bedrijf houden van een porseleinfabriek.

Markt De Markt behoeft geen nadere aanduiding. Een prachtig
punt van samenkomst.
Samen met het Vrijthof betekent zij veel meer dan een his-
torisch monument.
Maastricht noemt men niet voor niets de schatkamer en het
hart van Limburg.

'De Stokstraat vind ik eigenlijk de meest interessante straat van Maastricht, hoewel het niet zo'n erg fatsoenlijke omgeving was.
Alle huizen zijn nu gerestaureerd. In de eertijds rosse buurt, wonen nu advokaten.'

'Een prachtig voorbeeld van een Zuidlimburgse boerderij. *Vilt* Het zijn eigenlijk een soort witgepleisterde burchten, waarin van alles gebeurde.'

Anton Pieck
Vilt, Z. Limburg

Een van de mooiste Vlaamse steden is Gent. Hier plaatste *Gent*
Anton Pieck herhaaldelijk zijn materiaal om urenlang inge-
spannen te tekenen.

Mechelen 'In het oude Mechelen en natuurlijk ook in andere steden in België, kon en kun je nog steeds zien dat daar een totale vrijheid in bouwstijl heerst. Een baaierd van prachtige gevels, witte muurtjes en rode daken. En elk pand werd door een ándere aannemer geconstrueerd.'

'Godfried Bomans heeft eens gezegd: een oude stad met *Antwerpen*
sneeuw is een imitatie van Anton Pieck. Het valt niet te
ontkennen: sneeuwgezichten en de sfeer eromheen trekken
mij bijzonder aan.'

Antwerpen is een stad van nationale en internationale betekenis. De gemoedelijkheid en gezelligheid wordt vooral in de oude stadskern aangetroffen. De historische stad en kilometers kaden liggen aan de voet van de O.L. Vrouwenkathedraal, die sinds eeuwen het silhouet van de stad bepaalt.

Antwerpen 'Ik heb het altijd heerlijk gevonden om in België te werken. Ik voelde me er echt thuis. Dat kwam hoofdzakelijk door de mensen. Op deze tekening zie je een kenmerkend Antwerps tafereel, met die beelden van heiligen op de hoeken van de straten.'

'Helaas hebben ze in oude straatjes, zoals dit, enorm het mes gezet. Dat is heel jammer... want die goede oude tijd wordt ons steeds meer afgenomen.'

Antwerpen 'Wat in Nederland geldt, is ook in België van toepassing.
Hoe minder netjes de buurt is – zoals hier in het rosse kwar-
tier – des te karakteristieker de atmosfeer.'

Lier Hellestraatje

'Ik houd van details. Zoals deze kleine zaken rondom het   *Lier*
Begijnhof. Een klein poortje met een karakteristieke lantaarn. Zo'n gevelsteentje dat ik in de Begijnenstraat zag en
natuurlijk de toren van het stadhuis.
Tja, hier heb ik veel voetstappen liggen.'

'Dit is de ingang van het Begijnhof. Er waren daar vroeger
mooie hoge bomen. Die hebben ze allemaal omgehakt en
er is een keurig parkje voor in de plaats gekomen. Gemeen-
tebesturen weten vaak niet wat ze doen.'

Luik, de grootste en belangrijkste stad van Wallonië, ligt _Luik_
aan de uitlopers van de Ardennen. Daar stromen de Ourthe
en de Maas tezamen.
De Grote Markt wordt niet ten onrechte het mooiste
marktplein van de wereld genoemd.

Brussel
Grote Markt

MAISON de CONFIANCE

BIJOUX
:5:
OCCASION

VENTE   ACHAT

M. MORNARD
Expert~Fabricani

ACHAT DE BIJOUX

13

FETES

Anton Pieck
Brussel